Direction de la publication : Isabelle Jeuge-Maynart
et Ghislaine Stora
Direction éditoriale : Catherine Delprat
Coordination éditoriale : Clémence Thomas
Relecture, correction : Erwann Lepoittevin
Direction artistique : Emmanuel Chaspoul
Mise en pages : Sophie Compagne
Couverture : Véronique Laporte
Fabrication : Anne Raynaud

Illustration de couverture : Nathalie Jomard

ISBN : 978-2-03-586757-5
© Larousse 2012

LES MINI LAROUSSE

Les 50 règles d'or de la
séduction

Sophie Dominique Rougier

LAROUSSE

21 rue du Montparnasse 75283 Paris Cedex 06

Sommaire

La séduction,
ça s'apprend

Mais oui ! Autant le sentiment amoureux et le désir
sont des forces incontrôlées, brutes, venues du
plus profond et du plus intime de son être,
autant la séduction est un art élaboré et maîtrisé.
Et tout art a ses codes, ses règles, ses
développements, et donc s'apprend.

SÉDUIRE AUJOURD'HUI

Il ne vous a pas échappé que si la séduction est
aussi vieille que l'humanité et totalement univer-
selle (les rituels de séduction sont présents chez
tous les peuples, et de mise également pour l'ensemble du règne animal), ses codes varient selon
les époques, les continents, l'évolution des mœurs.
Or, pour être reconnu comme tel et atteindre son
but, l'acte de séduction doit être **immédiatement
identifiable** par celui à qui il s'adresse. Rien n'est
donc plus utile que de connaître les « rites » de
séduction admis comme tels aujourd'hui.

METTRE TOUTES LES CHANCES DE SON CÔTÉ

Les relations humaines s'apprivoisent, l'acte de séduction aussi. Mettre toutes les chances de son côté, c'est transformer une rencontre de pur hasard en opération de charme aussi maîtrisée que possible. Séduire paraît instinctif, simple, mais en réalité il s'agit d'un **acte de conquête** entrepris pour convaincre l'autre de faire la route avec soi. Ce n'est pas rien ! Les pages suivantes vont vous rappeler les règles d'or qu'il faut connaître pour se donner toutes les chances de réussir cette difficile entreprise de la séduction, prélude à toute histoire d'amour. Alors, autant bien se préparer !

Avoir confiance
en soi

Les médias véhiculent volontiers des images de séducteurs mâles sûrs d'eux et de femmes fatales. Vous n'en faites pas partie ? Ne vous inquiétez pas, chez beaucoup de personnes, l'acte de séduction et ce qu'il induit (rencontre avec l'autre, engagement, peur du rejet...) génèrent une certaine anxiété.

ACCEPTER DE NE PAS ÊTRE INFAILLIBLE

Pour séduire l'autre, il faut un minimum croire en soi et donc avoir confiance en ses capacités. Pour cela, il faut commencer par admettre qu'une réaction de stress lors d'une approche de séduction est banale et l'accepter comme telle : palpitations, rougeurs du visage, sueurs, bafouillages, ne sont pas si graves, et ces manifestations d'embarras peuvent même générer **un certain charme**, si elles sont acceptées et assumées avec simplicité et sourire. Ce qui est grave, c'est lorsque ce que vous appréhendez vous empêche de vivre votre vie, puisque, instinctivement, nous avons tous tendance à éviter ce qui nous effraie. Or, séduire, c'est oser, c'est aller au-devant de l'autre, c'est plonger en terre inconnue, c'est cesser de vouloir tout maîtriser !

POUR AVOIR CONFIANCE EN VOUS

• **Dédramatisez** la situation : séduire est d'abord un jeu.

• Faites mentalement la liste de vos **atouts**, vous en avez forcément, physiques, intellectuels, sociaux...

• Partez du principe que l'autre attend peut-être de vous ce **premier pas**, car lui aussi peut manquer de confiance en lui. Au pire, il sera toujours flatté de l'intérêt que vous lui portez.

• Et surtout, posez-vous cette question de base : **que risquez-vous** à tenter de séduire cette personne qui vous plaît ? Avoir confiance en soi, c'est d'abord être réaliste, et la réponse est... pas grand-chose ! Vous vous dites sûrement « Oui, mais ça pourrait ne pas marcher ? ». Vous ne le saurez que si vous osez, et, de plus, vous pourrez tirer des enseignements précieux des refus de l'autre à se laisser séduire (voir page 26).

Ne pas craindre l'échec

Il peut arriver que, malgré toute votre bonne volonté, votre démarche de séduction ne fonctionne pas. Il faut alors relativiser. Personne, absolument personne, n'est universellement irrésistible.

PERSONNE NE GAGNE À TOUS LES COUPS

Le rejet amoureux est toujours vécu comme un tsunami sentimental personnel, pour la simple et bonne raison que l'estime de soi est piquée à vif. C'est humain, mais il faut lutter contre l'association échec de la tentative de séduction/culpabilité personnelle. Non, si vous n'avez pas séduit cette fois, ça n'est pas parce que vous êtes « nul(le) ».

RE-LA-TI-VI-SEZ !

Soyez objectif, combien de fois votre méthode de séduction n'a-t-elle pas opéré comme vous le souhaitiez ? Pas si souvent que cela ? Pensez à vos parents, à vos amis, réussissent-ils à chaque tentative ? Rappelez-vous comment votre meilleure amie s'est pris une veste, la première fois... avec son conjoint d'aujourd'hui ! Le fait de ne pas être « aimé » par la personne sur laquelle on a jeté son dévolu fait partie de la vie amoureuse de tout un chacun. Il n'y a qu'une catégorie de gens qui ne se font jamais rembarrer : ceux qui n'osent pas séduire !

PONDÉREZ VOTRE RÉACTION

Le rejet amoureux peut engendrer des réactions violentes. Elles n'arrangent en rien la situation, surveillez-vous pour ne pas tomber dans ce travers :

• **Ne vous mettez pas en colère,** n'insultez pas la personne qui vous rejette.

• **Ne sombrez pas dans la déprime,** il peut y avoir mille raisons objectives, et qui n'ont rien à voir avec vous, pour que cela n'ait pas marché cette fois.

• **Ne cédez pas au harcèlement** psychologique (téléphone, SMS, mail) pour vous imposer et ne vous dévalorisez pas pour rattraper l'autre (« J'ai été nul l'autre jour, donne moi une autre chance... »).

• **Et puis souvenez-vous,** « un(e) de perdu(e), dix de retrouvé(e)s » !

Accepter
son physique

Dans le monde, il y a quelques dizaines de top-modèles, les six milliards d'êtres humains restants sont des individus « normaux »... et vous en faites partie ! Et comme tous les goûts sont dans la nature, votre physique est tout aussi capable de séduire qu'un autre.

S'ASSUMER TEL QUE L'ON EST

En revanche, laisser voir que l'on n'aime pas son corps, et donc que l'on ne s'aime pas, est l'antiséducation par excellence. Si vous ne vous aimez pas, vous, au moins un peu, qui va vous aimer ? Vous n'avez rien d'exceptionnel ? Vous êtes donc dans le même cas que des millions d'autres et pourtant **vous êtes unique**... Mais si ! Même la science le démontre. À vous de donner raison à la science...

SE METTRE EN VALEUR

Inutile de se voiler la face pour autant, le physique et l'apparence comptent pour beaucoup dans le processus de séduction, mais ce qui plaît à l'autre, ce qui l'attire, au moins autant qu'une plastique irréprochable (en admettant que cela existe), ce sont les efforts que vous avez entrepris pour vous montrer séduisant, les soins que vous effectuez pour être agréable à regarder : vêtements, maquillage, sourire, démarche, gestuelle, parfum, accessoires originaux, etc. Votre meilleur **atout** réside donc dans la façon dont vous vous servez de votre physique pour attirer l'autre.

À RETENIR !

Vous ne pouvez pas, ou peu, changer votre corps, acceptez-le donc comme il est, mais tout en sachant le mettre en valeur. C'est en effet ce qui va alerter l'autre sur votre désir de séduction et l'amener à vous laisser venir à lui avec intérêt.

Rester prudent
sur son image

Vous pensez peut-être avoir tous les atouts physiques pour charmer avec succès, mais prudence ! Les personnes les plus séduisantes ne sont pas toujours celles que l'on croit !

CONNAÎTRE L'IMAGE QUE L'ON RENVOIE AUX AUTRES

Lorsque vous vous regardez dans la glace, peut-être aimez-vous votre corps, mais pas votre visage, peut-être pensez-vous avoir l'air jeune ou avoir l'air sévère… Mais quelle est l'opinion d'autrui à votre sujet ? Car, à moins de vous appeler Narcisse, c'est tout de même l'autre que vous cherchez à séduire. Il est donc très intéressant de faire un sondage autour de vous, pour vous voir à travers le regard des autres.

Pour de bons résultats, choisissez donc un « panel » de témoins variés (âge, sexe, activité) et demandez-leur de répondre objectivement aux questions qui sont importantes pour vous (physique, allure, look…), éventuellement de façon anonyme. Lorsque les réponses se recoupent, tirez-en les conséquences adéquates. Vous verrez que ce petit « jeu » peut réserver des surprises de taille !

LA BEAUTÉ PEUT FAIRE PEUR...

Ne soyez pas si sûr de vous si vous avez un physique éblouissant. Bien sûr, la beauté attire immédiatement, mais elle peut aussi faire peur. On peut craindre de la part de quelqu'un de très beau, et qui tente de séduire, qu'il soit avant tout à la recherche de conquêtes sans lendemain. On peut aussi avoir peur de ne pas être à la hauteur pour assumer un conjoint d'une grande beauté.

...ET UN PHYSIQUE ANODIN PEUT RASSURER !

Au contraire un physique « normal » pourra être perçu comme rassurant dans un acte de séduction. Autre avantage, une image plus sobre ne monopolise pas autant l'attention et permet de faire valoir ses autres atouts plus spontanément. À vous de savoir les mettre en avant.

Séduire intellectuellement

Certaines personnes misent tout sur leur physique pour séduire, pourtant une plastique irréprochable ne garantit pas le succès à elle seule.

SÉDUIRE « DE L'INTÉRIEUR »

Nous avons tous fait cette expérience : être subjugué par quelqu'un grâce à sa conversation, sa gentillesse, son sens de l'humour, son savoir… Nous sommes beaucoup à être au moins aussi sensibles à « l'intérieur » qu'à « l'extérieur » d'une personne. La séduction intellectuelle fonctionne aussi et, si vous sentez qu'elle vous est naturelle et aisée, faites-en une alliée puissante. Même si vous avez un physique de star, cela ne vous nuira pas…

CE QUI PLAÎT TOUJOURS

• **L'humour.** Rien de tel que de se montrer drôle, gai, enjoué, pour attirer l'autre dans sa sphère. Nul besoin pour cela d'avoir dans sa hotte une kyrielle d'histoires drôles, l'essentiel est de montrer, en abordant la personne que vous voulez séduire, que vous avez envie de plaisanter, de rire et de vous amuser avec elle.

• **Une fois la glace brisée,** abandonnez les banalités et partez sur des sentiers moins battus. Parlez de ce qui vous passionne, de vos hobbies, d'aventures originales que vous avez vécues, n'évitez pas les sujets qui vous turlupinent, les questions que vous vous posez, au contraire, l'autre sera ravi que vous le sollicitiez ainsi, que vous lui demandiez son avis.

• **Séduire c'est s'intéresser à l'autre.** Avec bon sens, posez des questions sur la vie de celui avec qui vous parlez, sur son travail, sur ce qu'il aime dans la vie, sur sa famille, sur d'éventuels amis communs, sur des thématiques que vous pourriez partager par goût ou obligation. Ne faites pas seulement acte de politesse, animez la conversation, intéressez-vous à ce qui vous est dit, et vous en apprendrez beaucoup sur la personnalité de votre interlocuteur.

Les vêtements de la séduction

70 à 90 % de la superficie de notre corps…
C'est ce que représentent nos vêtements sous
nos cieux tempérés ou froids, mieux vaut donc
ne pas les négliger !

EXPRIMEZ VOTRE PERSONNALITÉ

Soyons clairs, en matière d'effet sur le jugement
des autres, l'habit fait le moine et en dit long sur
notre personnalité ou sur le message que nous
voulons faire passer : je suis sexy ; je m'habille à
la mode ; je suis quelqu'un d'important ; je porte
de grandes marques (j'ai donc de l'argent) ; je suis
quelqu'un de cool ; etc.

METTRE SES ATOUTS PHYSIQUES EN VALEUR

Valorisez vos atouts et éventuellement dissimulez
ce que vous avez de moins flatteur, voilà la règle
d'or des vêtements pour séduire, et ceci est également vrai pour les couleurs qui flattent votre
teint ou non. Sachez aussi que moins vous vous

sentez à l'aise dans une tenue, moins vous vous sentirez séduisant en la portant, ce qui est bon à savoir avant de craquer sur la dernière trouvaille à la mode qui ne vous va pas.

UNE TENUE ADAPTÉE À LA SITUATION

En répondant à une invitation, sur votre lieu de travail, ou pour une sortie nocturne, soyez vigilant à ce que portera votre entourage. Il n'y a rien de moins séduisant que d'être perçu en complet décalage avec un groupe ou une ambiance. À moins de jouer ouvertement la « provoc », mais il faut savoir la manier...

Les gestes
de la séduction

Nombreuses sont les personnes qui, lorsqu'elles sont mal à l'aise, ont le regard fuyant, la voix qui tremble, et les mains dans leurs poches.

L'IMPORTANCE DE LA COMMUNICATION NON VERBALE

Il faut se rappeler que les deux tiers des messages que nous transmettons passent par la communication non verbale. Le séducteur en chef de notre corps est notre regard, d'où l'importance primordiale de regarder bien dans les yeux celui ou celle que vous voulez séduire. Tout passe dans un regard, mettez donc dans ce premier contact ce qui vous paraît le plus important. Mais ne fixez pas constamment la personne concernée, celle-ci pourrait mal le prendre.

UNE VOIX QUI CAPTIVE

Dès que vous ouvrez la bouche, votre voix vous représente. Pour être agréable à entendre, respirez un bon coup avant de vous lancer, parlez de façon posée, évitez de prendre une voix haut perchée, ne criez pas, essayez de ressentir la vibration de vos cordes vocales, voire de votre thorax pour davantage de moelleux.

UN SOURIRE RAVAGEUR

Sourire est in-dis-pen-sable pour séduire ! Regardez les personnages dans les publicités, votre banquier, les politiques. Le sourire communique d'emblée du positif comme : j'ai envie de parler avec vous, je viens à vous avec confiance et intérêt, etc. Essayez de garder un sourire naturel, le vôtre, mais si sourire ne vous est pas naturel, exercez-vous devant une glace. Et faites aussi sourire vos yeux !

DES MAINS OCCUPÉES

Si vous ne savez vraiment pas quoi faire avec vos mains et que cela vous rend nerveux, assurez-vous d'avoir un objet à tenir (tasse à café, stylo…) en fonction du lieu où vous vous trouvez. Mais, surtout pas de téléphone portable, au risque de passer pour quelqu'un qui n'est pas vraiment attentif à la conversation.

Les mots
de la séduction

Il n'est pas toujours évident de se lancer dans une conversation à bâtons rompus avec quelqu'un que l'on ne connaît pas vraiment, qui plus est lorsque l'attirance est au rendez-vous.

RESTER MUET EST INTERDIT !

Même si la communication non verbale est importante, les paroles prononcées sont primordiales pour séduire. Parler est indispensable pour créer du lien, savoir ce que l'autre ressent et comment il réagit à nos avances amoureuses. Et même si vous vous êtes plu au premier regard, ensuite, pour aller plus loin, il faudra bien animer la conversation.

CE QU'IL FAUT DIRE

Les grands sujets généraux sont encore ce qu'il y a de mieux pour entrer en communication avec autrui, surtout lorsque l'on ne se connaît pas du tout. Trouver une communication circonstanciée, c'est-à-dire en rapport avec le moment présent, est aussi une bonne astuce, l'idéal étant alors d'introduire une petite touche personnelle.

ET NE PAS DIRE

Évitez d'emblée tout sujet trop personnel pour l'autre, ou des thématiques par définition sensibles (politique, argent, religion, mœurs…). Ne vous livrez pas non plus trop vite, n'envahissez pas l'autre avec vos problèmes, et ne monopolisez pas le temps de parole !

Un parfum
pour mieux séduire ?

On ne le dira jamais assez, une odeur de transpiration ou une mauvaise haleine peuvent rendre repoussante une créature de rêve.

TROUVEZ VOTRE PARFUM

D'instinct, tout le monde fuit les odeurs désagréables. Avant toute tentative de séduction, soyez donc sûr de votre odeur corporelle.

Mais être neutre du point de vue olfactif, ce peut être trop peu pour séduire. Utiliser une eau de toilette, un parfum, est donc une bonne idée, à condition de les choisir adaptés à sa personnalité, son allure, et que leur fragrance ne soit pas entêtante. Si votre parfum se repère à plus d'un mètre, vous en avez trop mis !

Trouver son rituel de séduction

Lorsque l'on cherche à séduire, on joue toujours un peu un rôle. Il est donc intéressant de bien peaufiner ce rôle pour être efficace.

IDENTIFIEZ VOTRE « TRUC »

À vous de repérer ce qu'il vous faut pour séduire avec aisance et de mettre au point votre rituel avant de vous lancer : aller faire un tour devant la glace des toilettes, respirer à fond, avoir un ami à vos côtés, ou un verre à la main, marcher un peu, penser longuement à ce que vous allez dire, entamer la conversation avec d'autres personnes au préalable, écrire…

Visualisez mentalement votre rituel de séduction et passez à l'action le moment venu !

Saisir toutes
les opportunités

Sachez saisir votre chance lorsqu'elle
se présente, sans attendre nécessairement
les circonstances rêvées.

PROFITEZ DE VOS SORTIES

Pour séduire l'autre, nul besoin d'un cadre romantique ou d'une heure spéciale. Laissez-vous aller à la spontanéité et profitez des hasards en saisissant l'opportunité au vol sans attendre obligatoirement une rencontre programmée, ou le très classique dîner chez des amis.

Vos lieux de loisirs sont forcément propices aux rencontres. Profitez de ces bons moments pour être disponible et attentif à ceux qui vous entourent : il y a de fortes chances que ceux qui aiment comme vous ce cours de danse ou cette exposition partagent d'autres points communs avec vous. Ne laissez pas la séduction de côté et restez ouvert à la rencontre à tout moment.

Afficher clairement ses intentions

Rien de plus déstabilisant pour votre interlocuteur que de ne pas savoir ce que vous lui voulez !

SOYEZ CLAIR DANS VOTRE ATTITUDE

Affichez clairement vos intentions. Nul besoin pour cela de se montrer grossier ou pressé, mais ne laissez pas planer d'ambiguïté : oui vous cherchez à plaire, à ce que l'autre vous remarque et s'intéresse à vous, comme vous cherchez à lui montrer qu'il vous plaît.

Les mœurs se sont considérablement libérées, vous avez le droit de vous jeter à l'eau sans craindre l'opprobre générale. Mais soyez conscient de vos actes : séduire, c'est éveiller des sentiments et des émotions chez autrui. S'ils surviennent, il faut être sûr de vouloir et de pouvoir les assumer et y répondre.

Tirer profit d'éventuelles erreurs

Personne ne gagne à tous les coups,
alors si vos efforts n'ont pas porté leurs fruits,
ne vous résignez pas trop vite et sachez remettre
votre approche en question.

FAITES UN EFFORT D'OBJECTIVITÉ

Si votre tentative de séduction n'a pas fonctionné, revoyez la scène et posez-vous les bonnes questions, celles dont les réponses vous seront utiles dans l'avenir :

• Est-ce que j'avais vraiment **envie** de séduire ?
• Étais-je clair dans mon **approche**, mon allure, mes propos ?
• **L'autre** était-il vraiment ouvert à mon approche ?
• Pour quelles **raisons** ai-je jeté mon dévolu sur cette personne ?
• À quel moment ai-je **senti** que cela ne marchait pas ?

• Suis-je satisfait ou non de la façon dont j'ai **renoncé** à poursuivre ma démarche ?
• Quelles **pensées** m'ont traversé l'esprit lorsque j'ai compris que je vivais un échec ?
• Qu'y avait-il, malgré tout, de **positif** et de valorisant dans cette scène ?
• Quelle est la principale **leçon** à tirer de cette tentative infructueuse ?

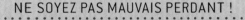

NE SOYEZ PAS MAUVAIS PERDANT !

En cas d'échec, ne reportez pas la faute sur l'autre. Il est bien sûr facile de se dire que l'on n'a rien à se reprocher, mais analyser calmement la situation vous permettra d'éviter les mêmes erreurs lors de votre prochaine tentative.

Ce qui fait peur aux hommes

Mesdames, pour éviter que ces messieurs ne prennent trop vite leurs jambes à leur cou, mieux vaut éviter d'aborder certains sujets dès les premières minutes...

LES PLAINTES INTERMINABLES

Non, vous n'êtes pas Cosette, et transformer votre discours de séduction en plaintes ininterrompues, revendications agressives ou propos démoralisants (oui, les temps sont durs) ne va certainement pas porter ses fruits.

Fondamentalement, un homme attend d'une partenaire potentielle quelque chose comme le repos du guerrier, c'est-à-dire une oreille attentive, mais aussi une compagne capable de bonne humeur, de douceur, de dédramatisation, bref, il doit voir en vous la perspective d'une vie agréable, et non pas la crainte de voir ses propres problèmes se multiplier par deux !

UNE TROP GRANDE INDÉPENDANCE

Vous n'êtes pas non plus Mata Hari. D'entrée de jeu, n'affichez pas une indépendance forcenée qui laissera peu de place à l'élu de votre cœur. D'accord, aujourd'hui, les femmes entièrement dévolues à leur mari ne font plus vraiment rêver, mais encore faut-il que votre futur ait l'impression qu'il ne va pas être un courant d'air dans votre vie, un accessoire que vous serez contente de trouver quand vous en aurez envie. Le côté protecteur des hommes est toujours d'actualité, faites comprendre à l'autre que vous aurez besoin de lui.

L'ENGAGEMENT

Enfin, n'évoquez pas dans les premières minutes, engagement durable, mariage, visite aux parents, enfants, rien de mieux pour terrifier ces messieurs et les faire fuir !

Ce qui fait peur aux femmes

Il faut le savoir, il y a des types d'hommes que les femmes ne supportent pas, en voici les principaux exemples...

LE PRÉVISIBLE

Les femmes aiment les surprises et détestent s'ennuyer. Messieurs, si l'on vous sent englués dans un train-train quotidien, dans un plan de vie trop strict, on va avoir peur de vous accompagner. Montrez-vous inventifs, vivants et gardez votre part de mystère et de surprise.

LE RADIN

C'est bien connu, les femmes adorent les cadeaux, donc ne parlez pas argent d'entrée de jeu et ne montrez pas que vous êtes « économe », elles risquent d'en déduire immédiatement que vous êtes radin et qu'elles ne vont pas s'amuser en votre compagnie.

L'IMBU DE SA PERSONNE

Monsieur, vous êtes content de vous, de votre situation professionnelle, de votre grosse automobile, de vos performances au tennis, et de votre sex-appeal ? Tant mieux pour vous, mais ne le montrez surtout pas ! Les femmes ne supportent pas les poseurs qui ramènent tout à eux, ne voient pas les autres et se comportent comme des butors.

LE TOMBEUR

Pour être rassurée, une femme a besoin de sentir qu'elle monopolise toute votre attention. Si vous aguichez toutes les filles que vous croisez, vous risquez de faire chou blanc !

Séduire une personne de son sexe

La société a évolué, les médias, la télévision, le cinéma, la littérature tendent à banaliser l'amour ou le désir éprouvé pour quelqu'un du même sexe que soi. Voici tout de même quelques conseils qui vous éviteront de vous heurter à des réactions trop vives.

SOYEZ SOBRE ET DISCRET

À moins de vous trouver dans un lieu ouvertement connu pour son public gay et lesbien, mieux vaut rester discret dans votre approche car vous ne pouvez connaître à l'avance la réaction de la personne convoitée face à une tentative de séduction qui pourrait s'avérer totalement inattendue !

RESTEZ CLAIR DANS VOS INTENTIONS

Certains signes permettent souvent de se reconnaître mutuellement, mais pas toujours. Ne jouez pas sur l'ambiguïté avec quelqu'un qui ne s'attend pas à votre démarche, c'est très déstabilisant pour la personne ainsi surprise. Faites comprendre clairement que vous êtes dans une démarche de séduction, c'est toujours flatteur et le refus (éventuel !) sera alors courtois.

QUELQUES PRÉCAUTIONS À PRENDRE

• **Soyez attentif au milieu** dans lequel vous vous trouvez ; un milieu branché, ou parisien, sera plus ouvert qu'un milieu rural ou visiblement traditionaliste.
• **Soyez attentif à l'âge des gens.** La liberté de mœurs va souvent de pair avec une relative jeunesse...
• **Ne soyez pas insistant** si vous sentez que vous choquez ou que vous vous trompez de personne.

Séduire
après 55 ans...
ou plus !

Les aléas de la vie font que de nombreuses personnes peuvent se retrouver seules une fois la cinquantaine passée. Si vous êtes dans ce cas, rien ne vous empêche de vous lancer à nouveau dans le jeu de la séduction !

L'ENVIE DE PLAIRE EST TOUJOURS LÀ

Même si la jeunesse est derrière soi, le besoin de plaire ne s'efface pas pour autant. Mais il faut savoir adapter sa stratégie pour y parvenir. Après un certain âge, si vous ne misez plus autant sur votre physique, vous pouvez toujours compter sur votre apparence, votre silhouette, votre sourire, votre vécu... L'important est donc de montrer à l'autre que vous vous efforcez de rester séduisant et disponible pour une rencontre.

JOUEZ AVEC LES ATOUTS DE VOTRE ÂGE

Ce qui va séduire l'autre, c'est votre désir de rester jeune d'esprit, votre besoin de rester à l'écoute du monde, de ses transformations, c'est votre capacité à être « dans le coup », votre volonté à être proche des vos petits-enfants, ou des jeunes en général. Le tout avec la sérénité qu'apportent les années.

PROFITEZ DES AVANTAGES DE VOTRE NOUVELLE VIE

Vous voilà avec plus de liberté, qu'elle soit voulue ou subie. Mettez-la à profit pour faire ce que vous n'avez jamais eu le temps de faire. Restez actif, faites des projets, ne restez pas chez vous à attendre « l'opportunité » et partez à la rencontre des autres au travers de ces nouvelles activités.

ASSUMEZ VOS ENVIES

Ne vous dites surtout pas que vouloir séduire à votre âge est ridicule, beaucoup de seniors sont dans votre cas et n'attendent que vous !

Le premier contact

Vous avez remarqué quelqu'un ? Si vous voulez
voir si le courant pourrait passer entre vous,
il va maintenant falloir vous lancer !

ENVOYEZ DES SIGNES

Vous êtes naufragé en plein milieu du Pacifique et
un bateau passe, que faites-vous ? Vous lui faites
signe. En amour c'est pareil, il faut que l'autre com-
prenne que vous cherchez à attirer son attention.
Un simple regard peut suffire, ou l'échange de
quelques mots. Vous pouvez aussi proposer votre
aide si la situation s'y prête, faire un petit présent
si vous vous connaissez un peu, y aller d'un compliment bien troussé, ou lancer un sourire accro-
cheur, bref, si le nombre d'approches est infini, le
but est le même : montrer à l'autre de façon claire
que vous cherchez à le séduire.

MAIS N'ALLEZ PAS TROP VITE

Être trop timide peut avoir son charme, et on vous
en voudra rarement d'avoir été réservé lors de votre

approche séductrice. En revanche, vous pouvez vous fermer définitivement des portes en voulant vous imposer rapidement à tout prix. Souvenez-vous, lorsque vous cherchez à séduire l'autre, vous entrez dans sa sphère personnelle. Faites-le avec élégance, légèreté, bonne humeur, et soyez bref. Il n'y a rien de pire en matière de séduction que l'insistance appuyée ou la lourdeur assumée !

Bien sûr, il y a les coups de foudre (plutôt rares), mais séduire est souvent une affaire de longue haleine, ne vous montrez pas pressé (mais soyez sûr de vous), vous n'en n'aurez que plus de charme et d'efficacité.

Savoir animer une conversation

Quels sont donc les premiers mots à prononcer pour se rendre sympathique à l'autre et lui donner envie d'un véritable échange ?

BRISEZ LA GLACE

Appuyez-vous fortement sur les circonstances et l'environnement du moment pour entamer la conversation, et observez comment se comporte la personne sur laquelle vous avez jeté votre dévolu au milieu de cet environnement. Vous pourrez alors choisir les mots qui seront les mieux accueillis. Sachez vous adapter et fiez-vous à votre instinct !

FAITES PARLER L'AUTRE

Il s'agit bien du B.A.BA de toute conversation, mais amener l'autre à communiquer est encore plus primordial lorsque l'on cherche à séduire. N'hésitez pas à complimenter la personne convoitée (voir page 40) et à lui poser des questions avec tact sur des sujets généraux sans aborder tout de suite des sujets trop personnels. Demander l'avis de votre nouvel interlocuteur sur un sujet ou un autre est aussi une bonne façon de le mettre en confiance et d'alimenter la conversation. Evitez à tout prix de parler immédiatement de sujets « sensibles » : politique, religion, sexualité, etc.

LIVREZ-VOUS... UN PEU

Votre conversation ne doit pas non plus ressembler à un interrogatoire, et pour cela, vous devez vous livrer un peu, parler également de vous, afin de mettre votre interlocuteur en confiance. Mais n'en dites pas trop lors d'un premier contact. Il est important de se laisser du temps pour une découverte mutuelle.

Enfin, sachez conclure de façon positive, soit en acceptant un « refus » avec le sourire, soit en évoquant un prochain échange.

Savoir manier
le compliment

Il fut un temps où le compliment était monnaie courante, mais aujourd'hui il devient rare. Et pourtant, il constitue à lui seul une redoutable arme de séduction s'il est bien trouvé, bien formulé... et bien reçu.

LANCEZ-VOUS EN RESPECTANT QUELQUES BASES

Quoi de plus flatteur et de plus agréable que de s'entendre complimenter sur une caractéristique personnelle ?

• **Trouvez** ce que votre interlocuteur aime visiblement mettre en avant.

• **Restez spontané,** votre compliment ne doit pas paraître prémédité ou intéressé.

• **Soyez léger** dans vos propos et exprimez-vous avec un joli sourire.

• N'adoptez pas un **ton emprunté**, hautain ou ironique.

Ne pas être trop sûr de soi

Si les personnes qui ont l'air bien dans leurs baskets sont généralement appréciées, celles qui affichent leur supériorité font rarement l'unanimité.

GARDEZ EN TÊTE QUE :

• Être trop sûr de soi peut induire chez l'autre un sentiment de malaise, voire un complexe d'infériorité (il est trop riche, trop beau, trop intelligent pour moi).

• Une femme trop sûre d'elle peut froisser les grands principes de la masculinité, ceux liés à la protection de la femme, à l'autorité naturelle de l'homme et à son besoin instinctif de guider.

• Un homme trop sûr de lui passera aux yeux d'une femme pour un dominateur, un narcissique, ou pour quelqu'un « qui se la joue » !

Rester soi-même

La tentation de jouer un rôle est souvent forte
lorsque l'on cherche à séduire quelqu'un.
La meilleure technique de séduction est pourtant
de rester soi-même... mais en se présentant
sous son meilleur jour.

SURVEILLEZ-VOUS

C'est le **naturel** et la **spontanéité** qui sont pleins
de charme, et c'est votre simplicité qui séduit
l'autre. Un jour ou l'autre (voire instantanément !),
la personne que vous cherchez à séduire va se
rendre compte que vous n'êtes pas celui ou celle
que vous vous efforcez de paraître. Ce sera alors
la douche froide assurée, car l'autre va se sentir
trahi, trompé, et cette perte de confiance sera bien
souvent définitive.

Il est normal de vouloir en rajouter en peu pour
donner une image plus avantageuse, mais si vous
sentez que vous dérapez, reprenez-vous, quitte à
mettre l'autre dans la confidence en lui expliquant
votre malaise... dû au fait que vous êtes intimidé.

Savoir manier l'humour

Faire preuve d'humour s'apparente surtout
à une manière de se comporter, de rebondir sur ce
qui est dit, de pimenter la conversation, de se montrer
spontané, le tout en regardant le côté cocasse
des événements de la vie courante...

N'OUBLIEZ PAS

• **Être drôle**, ce n'est pas inonder l'autre de « bonnes blagues » qui semblent apprises par cœur et qui risquent de passer pour un manque de vraie conversation.

• Il faut également savoir **rire de soi** : racontez une anecdote où vous n'avez pas forcément le beau rôle, mais qui est drôle pour tout le monde. Cela prouvera à l'autre que vous savez prendre la vie par le bon bout.

• Manier l'humour, c'est **rire avec l'autre** et non constamment aux dépens des autres.

• Il est important de savoir **retrouver son sérieux** lorsqu'il le faut au fil de la rencontre... au risque de devenir fatigant.

Séduire lentement mais sûrement

Bien sûr vous avez hâte de savoir si l'autre sera sensible à vos charmes ou non, mais mieux vaut faire preuve de patience.

PROCÉDEZ ÉTAPE PAR ÉTAPE

Pour être crédible et retenir l'attention, mieux vaut progresser tranquillement. L'urgence, en séduction, est toujours un aveu de manque de confiance en soi. Beaucoup d'hommes comme de femmes adorent cette période de découverte mutuelle et de premiers rendez-vous. Sachez orchestrer ce temps de séduction, et ne gâchez pas votre potentiel par trop d'appréhension.

PERSÉVÉREZ

La persévérance démontre que vous savez vraiment ce que vous voulez, que vous êtes sûr de votre choix. L'**attention renouvelée** prouvera à l'autre qu'il s'agit d'une personne qui compte pour vous.

Oser une approche originale

Lors d'une tentative de séduction,
faire preuve d'originalité vous aidera à mettre
toutes les chances de votre côté.

UNE ATTENTION PARTICULIÈRE

Un petit cadeau bien vu, un mail cocasse, un petit mot dans une boîte aux lettres ou sur un pare-brise, une rencontre « inattendue », soyez original dans votre approche, surtout pour une première rencontre. Pour cela, montrez que vous connaissez celui que vous cherchez à approcher, que vous l'avez remarqué, que vous avez été **sensible** à tel détail de sa vie, de sa personnalité ; mais pas trop tout de même pour ne pas donner l'impression à l'autre que vous l'avez épié et que vous êtes un suiveur compulsif ! L'originalité paie lorsqu'elle est tombe bien, mais son effet est catastrophique lorsqu'elle est **mal ciblée**. Réfléchissez bien avant de vous lancer !

Trouver
le bon rythme

Si vous voulez faire mouche, il vous faudra adapter le rythme de vos différentes approches en fonction des réactions de la personne convoitée.

ADOPTEZ UN RYTHME COMMUN

Si vous allez trop vite pour l'autre, vous risquez de l'effrayer, mais si vous allez trop lentement à son goût, la personne en question pourrait penser que vous n'êtes finalement pas si sûr de vous... Puisqu'il faut être deux dans le jeu de la séduction, il est important de suivre un **même tempo** pour avancer ensemble. Il faut donc constamment interroger l'autre (pas seulement verbalement) pour être sûr que les désirs et les envies sont les mêmes pour tous les deux.

N'oubliez jamais, lorsque vous proposez que l'on vous suive sur le chemin de la séduction, que vous n'êtes plus seul, mais déjà à la tête d'un couple.

RESPECTEZ LES DÉSIRS DE L'AUTRE

Vouloir aller trop vite est l'assurance d'un fiasco. Il ne sert à rien d'inviter à sortir quelqu'un qui refuse une simple conversation. **N'insistez jamais,** mais proposez une alternative positive, vous montrerez ainsi votre grand respect de l'autre. Que faire dans ces cas-là ? Laissez un numéro de téléphone, un mail, dites « à une autre fois ». Pensez que l'autre n'est peut-être tout simplement pas réceptif à votre charme aujourd'hui, mais rien ne dit que l'idée ne fera pas son chemin par la suite.

Savoir s'intéresser à l'autre

La séduction ne repose pas simplement sur votre capacité à vous présenter sous votre meilleur jour. Vous devez montrer qu'il est important pour vous de faire connaissance, de mettre en place un véritable échange, afin que vous puissiez en savoir plus sur l'autre.

FAITES NAÎTRE LA COMPLICITÉ

Pour qu'il y ait un véritable échange, prélude indispensable à toute séduction réussie, il faut apprendre à cerner la personnalité de l'autre. Pour y arriver, commencez par une **écoute** aussi active qu'attentive de ce qui constitue la vie de votre élu : pourquoi se lève-t-il le matin, quelles valeurs sont les siennes, quelles sont ses passions, qu'est-ce qu'il déteste... À vous de cerner ce qui est important pour l'autre et de quoi est constitué son caractère, sa personnalité.

ÉCHANGER SUR L'ESSENTIEL

Faire naître la complicité, voire l'intimité, c'est échanger sur ce qui fait l'essentiel de nos vies... sans être indiscret. Parlez travail, famille, vacances et voyages, loisirs et culture, sorties, sport, télé, ciné, nature, maison, déco, auto... Si vous ne connaissez rien à ce dont vous parle l'autre, posez des questions avec une **curiosité** légitime.

NE VOUS OUBLIEZ PAS

Rebondissez fréquemment sur les propos échangés pour, à votre tour, vous livrer discrètement en vous attachant à faire surgir tout ce qui vous rapproche tous les deux, tout ce qui vous rend **complémentaires**, ou tout ce que vous pourriez construire ensemble...

Au moment de la rencontre, il est donc essentiel que vous preniez le temps de vérifier que vous vous retrouvez surtout sur les **valeurs** qui sont les plus importantes pour vous.

Faire rêver l'autre...

Sortir du quotidien, s'évader... qui n'en a pas rêvé un jour ? Si vous réussissez à faire en sorte que l'autre vous voie comme LA personne avec qui tout est possible, même les choses les plus folles, vous aurez à coup sûr marqué de nombreux points !

OUVREZ DE NOUVEAUX HORIZONS

La part de rêve que l'on promet implicitement à celui que l'on cherche à séduire est pour beaucoup dans la réussite de la séduction.

Que proposent les grands séducteurs, hommes et femmes, célèbres ou inconnus, pour qu'on ait envie de les suivre ? **Quelque chose en plus.** On a le sentiment qu'avec eux, on connaîtra une vie meilleure, que l'on va enfin pouvoir se réaliser pleinement, et on a hâte d'entrer avec eux dans ce monde secret empli de lendemains prometteurs.

QUAND TOUT DEVIENT POSSIBLE

Tout le monde a envie de concrétiser ses rêves les plus fous. Séduire, c'est également montrer à l'autre que vous, et seulement vous, êtes capable de comprendre quels sont ses rêves et qu'il n'y a qu'avec vous qu'ils pourront se réaliser. Pour cela inutile d'être d'une beauté à couper le souffle, l'héritier d'une fortune colossale, ou un prix Nobel d'astronomie, il « suffit » de **convaincre** que vous êtes l'être avec qui tout est possible.

Savoir faire face
à la concurrence

Vous n'êtes pas seul à avoir remarqué
cette personne ? La situation n'est pas
désespérée pour autant.

SACHEZ FAIRE FACE

Préparez-vous mentalement à être en concur-
rence amoureuse, cela vous évitera de laisser
paraître une réaction qui ne serait pas forcément
à votre avantage (surprise, dépit, embarras, etc.).
Accessoirement, ce calme affiché, si vous décou-
vrez que la personne n'est pas libre, plaidera en
votre faveur pour ne pas renoncer malgré tout.

GARDEZ LE CONTRÔLE DE LA SITUATION

Vous voilà bien parti avec votre élu, quand quelqu'un
d'autre semble vouloir marcher sur vos plates-
bandes... À vous de trouver un bon **équilibre** :
montrer clairement que vous êtes là, que l'élu n'est
pas indifférent à votre présence et que quelque
chose se passe entre vous ; mais n'en faites pas

trop : ne soyez pas agressif, brutal, arrogant, au risque de mettre l'élu mal à l'aise. Et puis ne prenez pas le risque de faire penser que vous êtes déjà en terrain conquis.

INSISTEZ… GENTIMENT !

« Je ne suis pas libre » est souvent la réponse pratique pour dire « je ne suis pas intéressé ». A vous de poursuivre quelques temps la conversation, ou vos travaux d'approche, pour vérifier l'information… **Intéressez-vous à l'autre** malgré tout, gardez le contact, soyez léger et drôle, voire un peu distant tout en étant présent. Mais **sachez vous arrêter** et passer la main lorsqu'il le faut, au risque de passer pour un insupportable harceleur. Si votre démarche est impossible, soyez-en conscient et acceptez-le.

Établir un contact physique

Que vous ayez déjà réussi à faire comprendre à l'autre que tentiez de le séduire ou pas, un premier contact physique va forcément entrer en jeu à un moment donné.

UNE ÉTAPE IMPORTANTE

Réussir à toucher l'autre, c'est faire un pas de plus vers son intimité. S'il est opportun, ce premier contact physique peut être le souvenir le plus marquant de votre rencontre. Il doit bien sûr être ressenti comme chaleureux, respectueux, mais sensuel. Le message doit être clair...

AU MASCULIN

Messieurs, les usages sont de votre côtés, il est donc assez facile pour vous de toucher une femme sans passer pour un pervers en :

• Frôlant son bras ou son épaule au cours de la conversation.

• Passer une main bienveillante ou consolatrice dans le dos de votre élue.
• Oser un petit geste délicat sur la chevelure.
• Prendre ses mains dans les vôtres.
• Oser un petit baiser très chaste.

AU FÉMININ

• Les hasards de la conversation peuvent amener très facilement à poser une main douce mais furtive sur un bras ou une main de l'homme.
• Un frôlement du dos ou de l'épaule peut s'envisager à condition que le geste ne fasse pas « vieux pote ».
• Un petit baiser chaste d'au revoir sera un très beau cadeau...

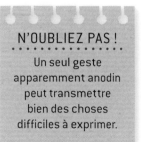

N'OUBLIEZ PAS !

Un seul geste apparemment anodin peut transmettre bien des choses difficiles à exprimer.

Garder une part de mystère

Ne vous livrez pas complètement lors d'une première rencontre, et même au cours des suivantes, s'il y a lieu.

MYSTÉRIEUX MAIS NATUREL

Donner à la personne convoitée l'impression qu'elle sait tout de vous en quelques heures n'est pas très... séduisant. Efforcez-vous de garder un côté mystérieux, mais de façon naturelle :

• Ne livrez rien ou peu de votre **jardin secret**, surtout lors de la première rencontre.

• Laissez l'autre **imaginer** que vous ne voulez pas aborder certains sujets par pudeur ou pour ne pas l'accabler par votre intimité.

• Laissez l'impression à l'autre que vous n'êtes pas quelqu'un dont on fait le tour en cinq minutes, mais qu'au contraire, il y a bien des **facettes** de votre personnalité et de votre vie à découvrir... si affinités !

Privilégier la subtilité

Le vrai « tue l'amour » dans la tentative
de séduction, c'est la lourdeur.

POUR QUE LE CHARME OPÈRE

• **N'en faites pas trop** et restez dans la subtilité,
c'est-à-dire dans la légèreté. Encore une fois, séduire
doit s'apparenter à un jeu, un plaisir.
• **Physiquement,** soyez attentif à votre présence, à
votre gestuelle, à votre comportement en général.
• **Émotionnellement,** n'envoyez pas des signaux de
passion absolue si vous vous connaissez depuis
cinq minutes.
• **Ne fondez pas en larmes,** n'éclatez pas de rire
bruyamment, bref, ne soyez pas envahissant et
restez extrêmement réceptif aux signaux de l'autre
pour adopter le bon tempo et ne pas commettre
d'impairs irréparables.

S'éloigner
pour mieux séduire

Pour savoir séduire, il est également important de savoir se faire désirer. Une fois que votre message est passé et que l'autre a compris que vous étiez intéressé, sachez vous éloigner.

RESTEZ (UN PEU) INACCESSIBLE

Un éloignement créera certainement chez l'autre un manque ou des doutes, et vous pourrez ainsi savoir si vos efforts de séduction ont porté leurs fruits. Ce sera aussi une façon de faire comprendre à l'autre que, s'il est intéressé, la balle est dans son camp.

Les hommes détestent les femmes collantes. Montrez-lui que vous n'êtes pas du tout de celles-là en n'insistant pas trop tout de suite, surtout si vous sentez que vous avez réussi à intéresser l'heureux élu. Les hommes ont un instinct de **chasseur**, rien ne leur plaît d'avantage que courir après une femme qui fait mine de s'éloigner!

Les femmes n'aiment pas du tout les conquérants convaincus, ceux qui claquent des doigts et croient

que cela suffit pour qu'elles tombent dans leurs bras.
Messieurs, les temps ont changé, faites-vous **désirer** à votre tour, vous verrez comme il est agréable
d'être rappelé par la femme qui vous plaît tant.

MAIS N'OUBLIEZ PAS
DE LAISSER LA PORTE OUVERTE

Pour que l'autre ait envie de vous relancer, encore
faut-il lui en donner l'occasion. Donnez des signes
forts sur votre intention de **revoir** l'autre afin que
votre éloignement ne soit pas perçu comme un refus
catégorique. Subtilement, faites savoir
ce qui vous ferait plaisir, un mail, un
appel, une visite à votre bureau,
une conversation au téléphone,
un déjeuner... tout est possible, mais n'oubliez pas
de lancer la perche.

Savoir relancer
la séduction

Soyons honnêtes, quelles que soient
les circonstances de la rencontre, il est difficile
d'être en permanence dans la séduction. Le mieux
est de savoir espacer quelque peu ses tentatives.
Ainsi, le moment venu, il est primordial de savoir
relancer le jeu de séduction.

AU BON MOMENT

Relisez le texte sur le rythme (page 46), il est important de respecter le **tempo** de la personne que vous
convoitez. Inutile de harceler ce commercial qui vous
a expliqué avoir une semaine d'enfer en perspective.
D'une manière générale, il est plutôt malin de **se faire
désirer** deux ou trois jours avant de relancer. Ce qui
n'empêche pas d'avoir recours à un mail ou un texto
pour signifier que vous pensez à l'autre. En revanche,
n'attendez pas plus de trois ou quatre jours pour donner signe de vie, au risque de passer pour quelqu'un
de condescendant ou de trop occupé pour accor-
der de l'importance à ses rencontres amoureuses.

DE LA BONNE FAÇON

Soyez franc : dites ce que vous ressentez vraiment et pourquoi vous avez hâte de revoir cette personne. Prenez le temps de discuter un peu au téléphone ou en face à face si possible, ou, si vous correspondez par mail, écrivez de façon très ouverte en sollicitant clairement une réponse à votre relance amoureuse (n'hésitez pas à formuler des questions). Vous devez vous assurer de la réaction de l'autre avant d'organiser la suite de votre relation naissante.

EN LAISSANT DES CHOIX

Laissez l'autre décider de votre prochaine rencontre. Le **second contact** est souvent déterminant, il faut que vous laissiez l'autre se sentir le plus à l'aise possible. Mieux vaut par exemple pour ce second contact une super conversation au téléphone, ou des échanges par mail, qu'un rendez-vous un peu forcé pendant lequel le courant a du mal à passer.

Proposer un premier rendez-vous

Le fameux premier rendez-vous : il s'agit
là bien sûr d'une des étapes primordiales du jeu
de la séduction. Qui doit le proposer ?
Que faut-il proposer ?

LANCEZ UNE INVITATION

Cela ne vous a certainement pas échappé, le statut
des femmes a suffisamment évolué pour qu'elles
puissent maintenant se permettre d'inviter celui qui
leur plaît. Mais pas à n'importe quelle condition. Un
homme adorera être dragué gentiment, mais pas
être choisi avec impudence. Un homme attendra
toujours de la part d'une femme, de la retenue et
une certaine pudeur dans l'invitation amoureuse.
Cela dit, messieurs, n'attendez pas indéfiniment
que l'heureuse élue se décide à accomplir le premier geste, il y a cinq mille ans de civilisation qui
nous précèdent et une bonne majorité de femmes
attend toujours ce geste de votre part !

QUEL TYPE D'INVITATION ?

Si c'est une première fois, faites simple et facile : un verre dans un endroit sympathique qui n'est pas à l'autre bout de la ville, partager une activité de loisirs que vous avez en commun, vous faire accompagner à une soirée à condition qu'elle soit décontractée (pas de dîner entre amis ou de famille) et que l'ambiance soit agréable, partager un petit-déjeuner, ou encore faire ensemble une balade dans un bel endroit.

Ne pas insister
si le courant
ne passe pas

Une rencontre est une alchimie des plus
subtiles, qui peut ne pas fonctionner.

ACCEPTEZ LA SITUATION

Que votre charme n'agisse pas, ou que vous soyez
déçu dès les premières minutes (ou au contraire
à la seconde rencontre), sachez le reconnaître et
sachez l'admettre. Il ne s'agit pas de se décourager
au moindre signe, mais bien de ne pas se montrer
insistant inutilement si le courant ne passe pas.
Personne n'aime voir mise en cause sa capacité de
séduction, et personne n'aime s'apercevoir s'être
trompé sur une personne présumée charmante.

Toutefois, il est encore pire de vouloir s'entêter
pour des raisons d'ego surdimensionné, ou de ne
pas vouloir admettre qu'on s'est laissé impression-
ner par un physique avantageux.

Ne pas trop espérer une seconde chance

Beaucoup d'études très sérieuses le montrent, la première impression est souvent la bonne.

LA PREMIÈRE IMPRESSION

Si l'impression que vous avez laissée lors de votre tentative de séduction est positive, vous voilà bien parti. En revanche, si vous n'avez pas osé, si vous en avez trop fait, si vous avez raté votre entrée, vous voilà prévenu, il sera difficile de faire revenir l'autre sur cette première impression. Les secondes chances ne sont pas si fréquentes dans le registre amoureux. Malgré tout, si vous voulez quand même essayer de « rattraper le coup » :

- **Exprimez-vous franchement** en vous excusant pour ce premier raté.
- Mettez en avant les **circonstances atténuantes**, il y en a toujours.
- Soyez **modeste**, souriant(e), touchant(e).
- Et ne reportez surtout pas la **faute** sur l'autre !

Comprendre un rejet amoureux

Malgré tous vos efforts, votre tentative de séduction pourrait malheureusement s'avérer inefficace. Même si l'expérience est difficile, il est dans votre intérêt de faire le point sur ce qu'il s'est passé afin de tenter de comprendre pourquoi cela n'a pas marché comme vous l'auriez souhaité.

VOUS VOUS SENTEZ BLESSÉ ?

Même si vous saviez, avant de vous lancer, qu'il y avait un risque que l'autre repousse vos avances, un refus n'est facile à avaler pour autant. Il est tout à fait normal, après un rejet amoureux, de se sentir triste, anxieux, déprimé, en colère, coupable, ridicule, agressif, colérique, dépendant, désorienté... et la liste n'est pas exhaustive.

En effet, ne rien ressentir alors que vos sentiments, vos émotions et votre ego ont été malmenés serait bien étonnant. Vous n'avez donc pas à minimiser votre ressenti ou à en avoir honte.

SACHEZ COMPRENDRE ET ADMETTRE
POUR MIEUX REBONDIR

Tenter de comprendre pourquoi vous n'avez pas réussi dans votre entreprise permet non seulement de **dédramatiser** ce qui vous arrive, mais prépare aussi votre futur relationnel et amoureux. Ce que vous avez vécu par le passé conditionne votre avenir. Mais encore faut-il être pleinement lucide sur votre aventure. **Soyez honnête,** ne mettez pas toute la faute sur l'autre, posez-vous les bonnes questions et tirez-en les leçons nécessaires.

NE VOUS DÉVALORISEZ
PAS POUR AUTANT

Commettre des maladresses ou faire un mauvais choix amoureux arrive à tout le monde et ne signifie absolument pas que vous êtes nul en séduction. **Ne vous dévalorisez pas** outre mesure, tout le monde rate des occasions ou se trompe, et si dans cette aventure vous aviez peut-être des torts, toute la responsabilité du rejet ne vous incombe sûrement pas.

Surmonter
un rejet amoureux

Rassurez-vous, en matière de séduction, absolument tout le monde a déjà essuyé un échec. Alors n'abandonnez pas pour autant !

REMETTEZ-VOUS EN SELLE

Pour être sûr que le proverbe, « Un(e) de perdu(e), dix de retrouvé(e)s » soit vrai, il faut accepter de se frotter de nouveau aux autres après un échec. La traversée d'un désert sentimental est tout à fait normale pendant une période donnée, mais ne vous complaisez pas dans votre solitude en ressassant des idées (sûrement fausses) sur ce qu'il vient de vous arriver.

RAFRAÎCHISSEZ
VOTRE TECHNIQUE

Votre dernier échec vous a peut-être appris des choses sur vous et/ou votre relation aux autres. Mettez-les en pratique en tentant d'autres approches, en modifiant des détails, en apprenant à mieux écouter, mieux parler, mieux vous faire apprécier, en étant plus lucide, plus honnête avec vous-même, en choisissant mieux vos relations, etc.

GOMMEZ LE PRÉCÉDENT REJET

S'ouvrir de nouveau aux autres, c'est juxtaposer d'autres visages, d'autres silhouettes, d'autres dialogues. C'est donc un bénéfice important pour votre mémoire qui va petit à petit remplacer de mauvais souvenirs par de plus positifs (ce qui est prouvé scientifiquement grâce aux neurosciences).

Séduire sur le web ?

Internet est devenu en quelques années
le troisième lieu de rencontres amoureuses,
après les lieux d'études et de travail.

N'AYEZ PAS PEUR DE LA TOILE

Ne croyez pas les Cassandre chagrinées qui prédisent des catastrophes à ceux qui décident de se lancer dans cette cyber-séduction (il y a moins de risques à draguer sur le web que dans un bar), ou les pessimistes chroniques qui affirment que séduire via Internet rime avec échec. Séduire sur la Toile s'avère plutôt commode, beaucoup plus ciblé, et surtout plus facile que de lancer des « opérations séduction » au quotidien. Il suffit de savoir s'y prendre... cela s'apprend !

CHOISISSEZ BIEN VOTRE SITE
DE RENCONTRES

Le site que vous aurez choisi est l'interface qui va vous permettre de faire de bonnes ou de « mauvaises » rencontres (virtuelles dans un premier temps). Il en existe des dizaines et chacun a sa

« spécialité », alors pour plus d'efficacité, **identifiez** bien celui qui répondra le mieux à vos attentes. Avant de vous inscrire, soyez clair et honnête avec vous-même : qui cherchez-vous à séduire ? Un « bon coup », un client au mariage, quelqu'un de votre âge, ou qui partage vos convictions écologiques ou religieuses ? Prenez le temps d'effectuer une **recherche approfondie** avant de vous inscrire sur le site (le plus souvent payant) qui semble le mieux vous convenir.

Bien rédiger son profil

Votre profil doit donner un aperçu de la personne que vous êtes, de ce que vous aimez et de ce que recherchez. Et il doit surtout donner envie d'en savoir plus et de vous contacter !

NE MENTEZ PAS… ENJOLIVEZ JUSTE UN PEU !

N'oubliez jamais que la finalité d'une annonce est de rencontrer quelqu'un. Si vous mentez dans votre descriptif, la rencontre de visu risque d'être tellement décevante que l'histoire va s'arrêter là ! Montrez-vous **sous votre meilleur jour**, mettez en avant vos qualités, et passez sous silence vos défauts, ce sera déjà très bien. L'idée dominante de votre pro-

UN CONSEIL

Même si vous trouvez cela gênant, n'hésitez pas à faire lire votre profil à l'un de vos proches pour avoir un avis objectif sur votre texte.

fil ? Donner envie aux internautes de mieux vous connaître.

NE SOYEZ PAS TROP LONG

Sur Internet, la lecture se fait généralement beaucoup plus rapidement, soyez donc bref, synthétique, allez à l'essentiel, restez ordonné et ne vous répétez pas. Dix belles phrases pour se présenter, c'est une bonne moyenne.

RÉDIGEZ UN TEXTE IRRÉPROCHABLE

Prenez votre temps, mais écrivez un texte parfait : pas de fautes d'orthographe, de grammaire, d'accord, et pensez à la ponctuation. Si vous n'êtes pas sûr de vous, faites-vous aider. Un texte bâclé c'est ré-dhi-bi-toire !

SOYEZ ORIGINAL

Sur les sites de rencontre, toutes les annonces finissent souvent par se ressembler. Pour ne pas passer inaperçu, mieux vaut donc faire preuve d'originalité. Si le contenu de votre profil se démarque nettement (ton, humour, présentation…), il fera mouche à coup sûr.

Choisir
la bonne photo

Premier élément de votre profil à être vu, la photo
est indispensable : 80 à 90 % des internautes
« zappent » les profils sans photo. Il faut donc
la choisir avec beaucoup de soin.

ELLE DOIT ÊTRE FIDÈLE À SON MODÈLE

Utilisez la photo de vous la plus flatteuse possible.
Pour un cliché de premier contact, montrez plutôt votre visage, votre sourire et vos yeux. Évitez
absolument les photos d'il y a vingt ans (vous ne
passerez pas le premier rendez-vous) ainsi que les
clichés trop marqués (à un mariage, avec quelqu'un
d'autre à vos côtés, lors d'une soirée déguisée…).

Enfin, ajoutez à votre profil au moins deux autres
photos très différentes dans la tenue et la situation,
et, cette fois, mettez vous de pied en cap. Tout
comme pour la rédaction votre profil, n'hésitez à
demander l'avis de votre entourage.

LES PHOTOS À ÉVITER

• Attention aux **photos trop aguicheuses**, très sexy, voire plus. Soyez cohérent avec votre recherche. Certes, des clichés de ce style vont vous attirer la foule des grands jours, mais que rechercheront vos admirateurs d'après vous ?

• Evitez également les photos sur lesquelles vous semblez **triste ou déprimé**. La photo doit donner envie aux autres de vous rencontrer. Il faut donc que vous ayez l'air sympathique et avenant.

Soigner
ses réponses

Une fois les premiers messages reçus, vous allez
ensuite devoir y répondre. Tout dépendra bien sûr
de votre envie de continuer un échange ou non...

HIÉRARCHISEZ VOS RÉPONSES

C'est évident, beaucoup de personnes seront
séduites par votre profil. Certes, il est sympathique
de répondre à tout le monde, même si c'est pour
dire non, mais si vous êtes envahi, cela risque de
devenir difficile. Dans ce cas, hiérarchisez vos
réponses : répondez en premier lieu et avec soin
aux personnes qui vous ont le mieux compris, puis
adressez une ligne gentille aux autres... et laissez
tomber les demandes inopportunes.

ADOPTEZ UN BON TIMING

Vous précipiter pour répondre revient à montrer
que vous êtes aux abois ; mettre huit jours avant
d'écrire... est risqué car vous n'êtes pas la seule
personne inscrite sur le site ! Adoptez un timing

raisonnable et laissez passer deux ou trois jours (maximum) avant de vous lancer.

PRENEZ LES COMMANDES

Un message vous a plu ? Dites-le dans votre réponse, sans vous emballer. Demandez à en savoir un peu plus sur l'autre, parlez aussi un peu de vous, sans entrer dans le trop personnel et indiquez claire-ment ce que vous voulez ensuite : poursuivre cette correspondance, chatter, passer par une webcam... Mais ne donnez pas de « vrai » rendez-vous à l'is-sue d'un seul premier contact.

UN CONSEIL

Avoir le temps de peaufiner ses réponses est l'avantage de la séduction par messages interposés. Profitez-en pour bien réfléchir à ce que vous voulez dévoiler de vous et ne vous précipitez pas !

Que dire
(et ne pas dire)
dans ses messages ?

Quelqu'un a pris contact avec vous et petit à petit un échange de messages se profile ? Toute la difficulté repose maintenant sur le fait que chaque message doit entretenir l'envie d'en savoir toujours plus sur l'autre, mais sans trop en dire non plus...

BRISEZ LA GLACE

Les messages, mails ou « chats » seront vos premiers échanges avec l'autre. D'abord, ne perdez pas de vue que séduire sur le web doit être aussi agréable que dans la vraie vie. Donc amusez-vous, soyez ouvert, détendu, et agréable à lire.

Ensuite, il est important de donner envie à votre interlocuteur de vous répondre, d'en savoir plus, pour que l'aventure se poursuive. Faites jouer votre intuition et animez la conversation avec vivacité et un brin d'humour.

FAITES CONNAISSANCE

Vous voilà chacun derrière un écran et un clavier. Que cherchez-vous l'un et l'autre ? À mieux vous connaître. L'idéal est donc de livrer un peu de vous, mais pas trop, et de poser aussi des questions intéressantes pour l'un comme pour l'autre. À la fin d'une correspondance, vous devez avoir l'impression d'avoir progressé dans votre « relation ».

LES « TUE L'AMOUR » DE LA CORRESPONDANCE ORDINAIRE

• **Ne râlez pas** sur tout (tout le monde a ses soucis),
• Ne parlez pas trop de vos derniers **échecs** sentimentaux,
• Ne parlez pas **sexualité**, **argent** ou **politique**, ces sujets peuvent mettre mal à l'aise et viendront certainement plus tard lorsque vous connaîtrez mieux la personne.
• Ne soyez pas **ennuyeux**, inutile de détailler vos opérations médicales...
• Ne soyez pas **agressif** (« qu'est-ce que tu cherches au juste ? »),
• Ni trop **banal** à lire.

Séduire
au téléphone

Après les cyber-conversations, l'étape suivante est le plus souvent le téléphone, à moins que vous ne préfériez la webcam (voir page 82).

LA VOIX, UNE ARME DE SÉDUCTION REDOUTABLE

Nous sommes tous sensibles à la voix de nos interlocuteurs, qu'elle soit agréable ou non. La voix dans le processus de séduction est très importante car elle **dévoile beaucoup** de notre personnalité tout en sauvegardant notre part de mystère. Pas question de bâcler votre premier coup de fil !

PRÉPAREZ VOTRE RENDEZ-VOUS

Convenez d'un rendez-vous téléphonique précis, arrangez-vous pour être seule, tranquille, et avoir du temps devant vous. Si vous avez le trac, respirez bien, marchez, regardez la télé (avant !)... et dites-le à votre interlocuteur, c'est craquant quelqu'un qui avoue son trac ! **Ne jouez pas de rôle** (« J'étais en

train de relire un manuel de physique des parti-
cules »), soyez vous-même, naturel, et mettez un
sourire dans votre voix, ça s'entend nettement.

ANIMEZ SANS MONOPOLISER

Soyez vivant, léger, à l'écoute, mais ne monopolisez pas la conversation. Sachez aussi **conclure**
en étant clair sur vos intentions pour la suite. Un
appel téléphonique avec un inconnu est souvent
déterminant pour la suite d'une relation, mettez
toutes les chances de votre côté !

Séduire
par webcam

La « rencontre » via webcam peut être une très bonne façon d'avancer et d'approfondir un contact déniché sur un site de rencontres, sans prendre de risques.

UN MOMENT IMPORTANT

N'hésitez pas à proposer cette démarche, cela vous permettra de comparer la photo avec l'original, d'entendre la voix de la personne, d'évaluer sa conversation, sa spontanéité, ses réactions... Avant le rendez-vous, préparez-vous : soyez à votre avantage, sans plus (vous n'êtes pas à l'opéra), et n'hésitez pas à garder sous le coude un petit **pense-bête** avec des questions ou des thèmes que vous voudriez aborder.

Comme pour une conversation téléphonique, restez naturel, animez la conversation, mais laissez aussi la parole à l'autre.

Se partager les rôles

Sur Internet, selon la tradition, ce sont les hommes qui font la chasse aux rendez-vous et les femmes qui répondent aux chasseurs. Mais les hommes adorent aussi être dragués !

LANCEZ-VOUS

Mesdames, si un profil vous plaît, fendez-vous donc d'un **petit message gentil**, sans rien de trop personnel, mais qui montre que vous n'êtes pas indifférente aux charmes de monsieur et que vous aimeriez volontiers en savoir plus. Attendez quelque jours si besoin, mais s'il n'y a définitivement pas de réponse, passez à autre chose... et ne vous offusquez pas de ce silence. Il existe toujours des hommes qui se sentent mal à l'aise dans cette situation de « chassé ». Ou alors votre profil ou votre demande n'était tout simplement pas au goût de l'heureux élu. Persévérez !

Réussir sa première (vraie) rencontre

Après un échange à distance plus ou moins long, viendra enfin le moment où vous allez franchir le cap de la rencontre.

NE FANTASMEZ PAS TROP

Cette étape peut être source de stress, mais si vous en êtes là, c'est qu'il y a certainement des atomes crochus. Internet est un nid à fantasmes ! Pour que votre première rencontre ne soit pas un flop de part et d'autre, gardez la tête froide en fermant la porte, et partez l'esprit libre. Après tout, ce n'est qu'une rencontre, si vous ne séduisez pas cette fois (ou si vous êtes déçu), ce n'est pas grave, c'est le jeu des cyber-rencontres.

Voyez le côté positif des choses : 1) il est toujours bon de rencontrer de nouvelles personnes ; 2) même si le courant n'est pas passé, c'est bien d'avoir essayé ; 3) il est rarissime que la première fois soit la bonne.

CHOISIR L'ENDROIT APPROPRIÉ

Pour être plus à l'aise, essayez d'amener l'autre sur votre terrain et dirigez-le dans ce petit café sympa que vous appréciez et dans lequel vous vous sentez bien. **Évitez** les endroits où tout le monde vous connaît, les lieux très bruyants, et pour le premier rendez-vous, oubliez restaurants, discothèques, etc. (gardez tout cela pour plus tard). En revanche, si vous vous êtes déjà découvert des affinités, n'hésitez pas à partager, avant le café, une activité originale dont vous pouvez lui faire la surprise. Et bien sûr, mettez-vous **à votre avantage**, sans donner l'impression que vous avez sorti le grand jeu. Gardez des cartouches pour la suite...

UN CONSEIL

L'important est que **vous soyez à l'aise** dans le lieu que vous aurez choisi. Ce lieu devra également être calme afin de ne pas rendre impossible toute conversation.

Se montrer patient
et persévérant

Tout comme vous ne trouverez par l'amour à chaque coin de rue, vous ne rencontrerez pas la bonne personne en un seul clic.

OSEZ MULTIPLIER LES CONTACTS

Ne vous sous-estimez pas si vous mettez du temps à trouver des profils intéressants, puis si vous devez multiplier les rencontres de visu. C'est normal. Sur la Toile, chacun va un peu à la pêche, tâtonne... et se trompe parfois. Votre pouvoir de séduction n'a rien à voir avec cela.

PROFITEZ DE LA SOUPLESSE DU WEB

Si vingt personnes vous ont fait le même commentaire gênant concernant votre photo, votre texte, vos délais de réponse, etc., ne soyez pas têtu, rectifiez le tir. Ce que vous croyez peut être différent de ce que les autres perçoivent. Internet permet de réagir au jour le jour, profitez en !

NE RENONCEZ PAS

Le maître mot lorsque l'on veut séduire sur Internet ? **Persévérance.** Il se crée chaque jour de nouveaux profils (et de nouveaux sites), ne laissez pas tomber parce que jusque-là vos efforts n'ont rien donné. Entêtez-vous, soyez présent, continuez de répondre aux messages et continuer de rencontrer des gens. Si vous en ressentez le besoin, faites une pause, mais allez de l'avant. Statistiquement, c'est la formule gagnante !

Crédits photographiques